Apdo. 10524
1000 San José
COSTA RICA

# VERBO MADRE
## Ana Istarú

11/3/97

Para Rebecca,
con el abrazo
paterno de

*Ana Istarú*

Colección Poesía

*Verbo madre*
Editorial Mujeres. Primera edición, diciembre 1995

**EDITORIAL**
*Mujeres*

© Editorial Mujeres
Apdo. 727-2050
San José, Costa Rica
Telefax (506) 2347429

Agradecemos a la Fundación para los Derechos Humanos de las Mujeres, la colaboración brindada .

Portada: *Maternidad,* Aguada. Pablo Picasso, 1905. Colección privada. Paris.
Texto revisado y autorizado para su impresión por la autora.
Edición: Linda Berrón

*Este poemario fue escrito gracias
a una beca que me concediera
la Fundación John Simon Guggenheim,
a la cual le estaré siempre
profundamente agradecida.*

# Indice

## I

## II

## III

## IV
### *A Matilde*

## V

*A Valentina*
*y Avril*

I

## Vida:

sella mi pacto contigo.
Hunde tus brazos azules
por el arco de mi boca,
derrámate como un río
por las salobres galerías de mi cuerpo, llega
como un ladrón, como aquel
al que imprimen en la frente de improviso
el impacto quemante de la dicha,
como quien no puede esconder más bajo el abrigo
una noticia magnífica y quiere reírse solo,
y está el amor que se le riega por los codos
y todo se lo mancha,
y no hay quien lo mire que no quiera
besar dos veces las palmas de sus manos.
Vida: asómate a mi carne, al laberinto
marino de mi entraña,
y atiende con arrobo irreprimible
a este niño infinitesimal
urdido por el cruce de fuego de dos sexos.
Por él he de partir en dos mi corazón
para calzar sus plantas diminutas.
Vida: coloca en su cabeza de la altura de un ave
el techo de tu mano. No abandones jamás
a este cachorro de hombre que te mira
desde el sueño plateado de su tarro de luna.

Coloca, con levedad silvestre, tu beso inaugural
en sus costillas de barquito de nuez. No lo abandones,
es tu animal terrestre, el puñado de plumas
donde se raja el viento.
Vida: acoge a esta criatura
que cabe en un durazno.
Yo te nombro en su nombre su madrina.
Alzo por ti mi vientre.
Vida: abre los brazos.

# Yo, la hembra fiera

Yo, la marsupial,
la roedora,
la que no tiene tregua,
la que ha juntado ramas,
la que escoge las hierbas con las zarpas heridas,
la que gasta los cobres de su lengua
para fraguar el nido
y está midiendo el viento,
y acapara el lado oculto
de todas las colmenas,
la que atina a mirar los trajes de la luna
y quiere desovar,

la que fue fecundada
con un polen antiguo
y está que la revienta
la gloria de la estirpe,
la que tan sólo espero un signo de los astros
para tirarme
con un rugido ronco a dar a luz,

yo, la hembra fiera,
la traidora,
la taimada,
la que a la muerte ha echado
a perder
su cacería.

## No soy la doncella sagrada

Tu amor me será hoy
dos veces grato.

No soy, lo has visto,
la doncella sagrada
y ocupo por lo tanto
de tus buenos oficios
para soltar los cascos de la especie
por mi cuerpo.

Imprímeme en la boca
tus aceites marinos
y en la palabra madre
la palabra deseo.

# Carta del don

La carta, la jadeante,
me acuclilló en el charco rosicler
del corazón.

La carta
se humedece las manos,
sacude de mi frente el lebrel de la agonía.

Yo te bendigo, dice
y hunde su lengua de papel
entre mis belfos helados.

Me vuelca sobre el suelo, sudorosa
y sopla
con letras negras: yo te bendigo,

brindo
por este vaso de tu preñez.
La carta dice cosas a mi cuerpo
y es como un beso largo que me incita a llorar.

Recompone
su corona de hierbas.
Hunde su dedo índice
en mi vientre de paño,

donde mi embrión refulge
como el grano de la luz.

La carta se marcha
como los dioses griegos.

Deja tirada a una mujer
a merced de los lobos
dorados de su dicha
sin saber si cantar,
si romper en el aire
el rosetón de vidrio de su risa.
Está propensa al llanto.

La carta
deja tirada a una mujer que lame
su péndulo de luces
contra la oscuridad.

## Escucha: hay una mano diminuta

Derramas,
final de la delicia,
una inicial translúcida en mi pelvis,
yo no sé qué mensaje,
qué gránulo de sal,
qué código del agua hallada entre tus sienes.
Y mi matriz es dulce
y es un astro expansivo.
Y todo me percibe: tengo un aura convexa.
Hay algo, alguno, alguien, como un rumor que emerge,
y su latido tiene la textura del crótalo,
y viaja, nido ebrio, por mi líquida entraña.
Escucha: hay una mano diminuta: está escribiendo
ese signo inicial de su relato.

## De los cuerpos celestes

El firmamento me convoca. Restriega
su plácida testuz,
su pelusa de argento, su pescuezo
de hielo troquelado
en las lanas calientes
de mi panza de loba.

El universo
restriega su frágil cornamenta
en este globo terráqueo de mi cuerpo.

## Venus encinta

Pleamar
soy, curvatura:
Venus hermosa
saliendo de su baño
con los pechos en punta, negrísimas
sus flores compitiendo
en latitud
con la pulpa preciosa
de su vientre
redondo como vela,
repleto como el mundo.

## Estoy de pie en un sueño

Estoy de pie en un sueño.
No lo quebrante nada:
ni ese buque de bruma,
ni ese torso aterido,
ni ese dolor que viene
preguntando mis señas,
ni esa medalla rota
de mi niñez soleada,
ni ese cadáver dulce
que nunca se derrite.

Pasan las nubes. Tocan
mi preñez constelada.
Depositan sus roncas
liviandades encinta
y mi cintura es bóveda
donde naufraga el cielo.
Pasa la noche. Pasa
como un linaje oscuro
donde mezo mi lánguido
devenir de planeta.

Estoy de pie en un sueño.
Soy sueño que levita.
Soy nave circular,

la faz del plenilunio.
Pasa la vida. Sueña.
Hunde en mi horcajadura
sus dos guantes helados
y al fondo de mi entraña,
como si en un estanque,
un pasajero espera.
Tiene el porte del ángel,
la estatura de seda,
el sopor migratorio
de una deidad brevísima.

Estoy de pie en un sueño.
No lo quebrante nada:
ni ese buque de bruma,
si ese torso aterido,
ni ese dolor que viene
preguntando mis señas.

**II**

II

# Despedida

Te irás del sótano
salino de mi carne.
Ya no estaremos nunca tan cerca como ahora.
Yo seguiré cantando mi gravedad marina,
domeñando el rugido de tierra de tu parto
hasta llenar la estancia tan alba del vacío
con tu ser deslumbrante.
Ese cordel de sangre del centro de tu talle
lo cortarán.
Jamás serás de nuevo mi cometa secreto,
el capullo de rafia,
el cosmonauta asido a mi matriz.
Cortarán ese lazo de savia sin regreso
y llevarás por tanto mi nombre sobre el vientre
como un botón rosado,
allí donde mi amor
no pudo más e imprime
su cóncavo dedal de despedida.
Ya no estaremos juntos como juntos estamos,
atados como liquen. Vas a nacer. Por siempre
soy tu animal materno.
Donde quiera que vaya la hoguera de tus pasos
tenderé una señal,
un eslabón de viento,
un trazo que nos ate más allá de la tierra,

un dibujo invisible que nada lo lacere.
Un rayo interminable donde mi amor transite
y viaje de mis senos a tu boca candente.
Un rayo que yo pueda ponerme entre los labios
cuando su azul letargo me tienda al fin la muerte.

## Abrete sexo

Abrete sexo
como una flor que accede,
descorre las aldabas de tu ermita,
deja escapar
al nadador transido,
desiste, no retengas
sus frágiles cabriolas,
ábrete con arrojo,
como un balcón que emerge
y ostenta sobre el aire sus geranios.
Desenfunda,
oh poza de penumbra, tu misterio.
No detengas su viaje al navegante.
No importa que su adiós
te hiera como cierzo,
como rayo de hielo que en la pelvis
aloja sus astillas.
Abrete sexo,
hazte cascada,
olvida tu tristeza.
Deja partir al niño
que vive en tu entresueño.
Abre gallardamente
tus cálidas compuertas
a este copo de mieles,

a este animal que tiembla
como un jirón de viento,
a este fruto rugoso
que va a hundirse en la luz con arrebato,
a buscar como un ciervo con los ojos cerrados
los pezones del aire, los dos senos del día.

## La noche de grafito

Una mujer
presiente el eco de la tierra en sus entrañas.
Agita su pandero, su cúpula de carne.
La están nombrando a voces.
Hay sirenas barrocas que rondan por su cuarto,
un nudillo invisible,
un ariete que empuja y quiere tocar el aire,
salir para mirarla, morder el verbo madre,
asaltarle los pechos,
ser colibrí.

Una mujer
se abalanza a la noche,
viaja en un riel de plata,
no le importa la lluvia ni el fragor del silencio.
El corazón le escuece como un verbo indomable.
Rememora el fermento de esposo que bebiera,
las nueve lunas lánguidas.

Una mujer
ha atravesado el aura de una ciudad que duerme,
la noche de grafito.
Desanuda su claustro, se adentra en sus entrañas.
No espera más.
No vuelve más.

Emite el canto azul de las ballenas.
Está jurando amor
por un desconocido.

Una mujer
celebra
un himeneo de fuego
con la vida.

## Al dolor de parto

Hola dolor, bailemos.
Serás mi amante breve
en este día.

Tu sirena de barco,
tus anillos sonoros en mi boca:
ya lo sé.

Oh bestia de Jehová,
muerdes a quemarropa.
Hola dolor.
Bailemos, qué más da.

Ya te miraré arder, rabioso,
solo en tu ronda

y yo botando espuma por los pechos,
gozando al reyezuelo,
oliendo el grito de oro
del niño que parí.

## alumbramiento

vino de mí
salió del fondo
el médico aplaudía
yo vine con el mar en la barriga
como un intenso parasol
un mapamundi

yo era la esfera que rodó en la madrugada
de corazón latí como un caballo
lo digo así

es que la crin
me perfumó

el vientre se movía
como suelen moverse los rebaños
venía con mi molusco mi amapola
mi potranco
con mi gorrión redondo

yo no podré faltar jamás     me dije
a nuestra cita
así que estoy aquí
con esta fiesta
brincando por el talle

hice mi baile de rosas
mi aleteo
mugí como los barcos
el vientre daba vueltas

me esperaba
oculta en el carmín
donde el médico buscaba con su ceño

yo empujaba
el ventarrón del orbe en mi testuz
soplaba como un faro
como los dioses marinos de los cuentos
una granada real a punto de volar

recuerdo que por suerte
César me retuvo del cabello
estaba emocionado
sin saber si tintinear o si envidiarme
de entero dedicado a mis pulmones
expirando inspirando y expirando
me miraba de adentro de sus ojos
como sólo una vez me mirará
en toda la vida de su vida
y a mi vientre que cambia de paisaje

y así
vino de mí
salió del fondo
nos bendijo de un golpe con su grito
se puso a beber sol como una fiera
de lana o amaranto

yo estaba enamorada y me reía
de loca de centella de rodillas
quería besar el sexo el vellocino
de César que lloraba
tomar a mi criatura
correr a derrocharla por las calles

qué llovizna de leche que cabalga
toda la luz del mundo en el pezón

# En tu boca de greda

Tu boca es esa poza donde el ángel
hunde sus dedos dulces.

Criatura que regentas
el trance de mis brazos,
yo te miro y el corazón se torna
dos cántaros lunares,
dos pastizales líquidos
de algodón deslumbrante.

Amor,
entre tu boca de blandura de greda
van nevando mis pechos
como un paraje helado.

## Vocación

Que el orbe se desboque,
que toquen a la puerta mis amigos,
que llueva ajenjo sobre los paños
de blanca estofa
y se tuerzan en el cazo los cereales,
que el ceño frunza, descontento,
mi marido
y me extrañe alguno que otro
en el teatro de Dionisios.
No desviaré mi paso:
en mis dos pechos mansos
serás el comensal.

# En dónde estabas antes

¿En dónde estabas antes,
que no estabas conmigo?

¿Bajo una flor de tinta
de mi centro azabache?
¿Los densos aposentos
de mis pozos dormidos?

¿Eras la piel del viento?

¿Bajo una flor de sangre
de mis rosadas dunas?
¿En mi ovario bruñido?

¿En dónde estabas antes,
cencerro del silencio?

# De las doradas ubres

No llores, bestia dulce, trino del hambre.
Mira esta luna atorada entre mis pechos.
Te daré teta, como la madre gata,
con barriga de ensueño, con mamas de franela.

No llores más, cachorro, por tu rosal de leche
y el goterón de nube de mis ubres doradas.

No llores más, ternero de belfos de penumbra.
Te daré teta, como la madre vaca,
con reguerete lácteo, tazón de mansedumbre,
que todo cuanto nutre nunca es vano.

No llores más, oh hambre de la tierra.

# III

## Anunciación

¿Y este baño de nieve?
¿Y este aserrín de almendra en los pezones?
Y en mis regiones lunares,
¿por qué esta pócima lenta de tu boca
volcada como aceite,
saliva somnolienta?
¿Cuáles palabras, cuáles,
me has puesto sobre el sexo?
Navegan hacia un cielo
mis dos muslos sonámbulos,
y en tan tierno declive
un ramillete helado de fresquísimos berros
deslizas del tobillo hacia mi gozne.
¿Y este aroma viril, sus estrellas saladas?
¿Cuáles palabras, cuáles,
escozor de jengibre
de tu barba crecida, entre mi sexo?
¿Cuántos besos has puesto
sobre esta ventanita?

Adiós. No escribes más
con tus húmedos dedos.
¿Qué cosa has dicho? Un algo,
un ya no supe cuál de anunciación.
Te has puesto la bufanda. ¿De dónde viaja a ti
toda la luz?

Adiós dardo bellísimo del sol.
Te yergues todavía. Te estás por ir.
Devuelves hacia el lecho
esa boca sanguínea
y alcanzas con el borde de tu lengua
las cimas de mis senos,
sus morenos torreones de azúcar diminutos.
Abro los ojos. ¿Dónde
miro pasar volando
un abrigo raído?
¿Por qué, como la nieve, en el tejado?
Un dios se mueve en mí.
Adiós, arcángel.

# Natividad

## I

a la mar a la mar
mi cuerpo es un carruaje
por la palabra madre estoy que impulso
este delfín
acaso breve acaso
la marejada ingente
para su amor adopto
acentos de sirena
estoy remando remo
como ángel desbocado

hay un viaje de potro que derrumba
pero si yo te espero
al borde de mí misma
espero que traspases pasadizos

de mi cuello de níquel
un encaje de sal que se enardece
reverbera
este jadeo es la del amor
la otra partitura oh parturienta
laboriosa
oh rosa de los vientos en la boca

antes del aire
¿en dónde un niño?
en su capullo
yo sé de un algo de gorjeo inimaginable
yo soy tu feudo
oh dulce alud de seda


pero a la mar a la mar al abordaje
océanos de luz
tu padre espera
mirar como embriagado tu tonsura
aro de luna del centro de mi vulva
puerto final


por la palabra madre estoy que impulso
la fe del universo
escuchen a este niño que asciende por mi cauce
fanegas y fanegas de mi amor
oh voz de alumbramiento
que empapas las estrellas
yo soy ese animal de contemplarte
y tú mi bienvenido

## II

tráiganme un balde de niebla
diez címbalos de fuego
un cordero de champán que baile en sus dos patas
una fiesta que llore
metal del aleluya

a mí como a María
por la boca
la dicha atronadora de fuegos de artificio
a mí como a María
por las ingles
como a María
prendido de los pechos este peso
su peso es invisible

y es un dios

## Pesebre

Huele a pienso y a pasto y a pesebre.
Que pase el universo con su capa de chispas.
Que ruede en la pendiente de los vientos morados.
Que se raje la frente como un coplero ebrio.

Yo escucho esa migaja de cristal que berrea,
y es fulgor que proviene de una boca menuda,
y es copita de carne, hociquillo de leche
donde acuden mis senos como panes mojados.

Que pase el universo
con su armada de lobos y su yelmo de vidrio,
su corazón de harina, su hueco en la cordura.

Yo tengo que caer sobre este pienso,
dejar que salte negro el regaliz
de estos pezones dulces regándome el corpiño,
buscar entre la paja y la vecindad del buey
una boca menuda, un fulgor que berrea,
un cachorro de dios
vertido por mi sexo,
y apagar con mi amor y sus tibios chorros blancos
este puño de sed.

Todo mi cuerpo es gozo.
Benditas mis aureolas bajo el beso de un dios.

# IV

*A Matilde*

## loto de nácar

oigo pasar la vida           ¿se ha vuelto loca?
dejó caer su saco
con mi madre rodando
como una estalagmita
que se parte en fracciones decimales
miro un loto de nácar que se escurre
por esta alcantarilla y es mi madre
miro un tajo de magma entre sus pechos
ya peña sin sutura el corazón

## me acordaremos todos

lo que duele es aquí
y es de maíz cascado
pienso en mi madre que tenía una banderita
pasó por esta casa
—es preciso explicarlo: la casa ya no existo—
pasó por esta casa fulgurante
pasó por esta espléndida
casa fulgurante
flamante refulgente
      con          maldita sea
      los ramos de heliotropo
      la pascuita
      árboles bordados pájaros varios peces pericos
      los pájaros frutales
      el gato sucumbiendo a la pasión
      (a las pasiones varias: pájaros peces)
      un amor de veraneras mal disimulado
      mi primer ramo de novios aromosos
      ese beso del cual nunca pienso sanar
pasó pues por esta casa
y hacía de carrusel
de servilleta
de pajarito blanco
de puñetero Niño Dios
era de azúcar

tocaba el té con la falange pequeñita
yo sí me acuerdo
me parece refulgirme refulgente todavía
remojando el corazón en los granitos
yo sí me acuerdo aunque todos se olviden
e insistan cortésmente en que total ya se murió
—nadie se ofenda          me refiero únicamente
a sus seres más queridos—
yo sí me acuerdo
y si es necesario
yo por siempre jamás me acordaremos todos
pasó por esta casa
y yo soy el testigo:
toque este hueco
que dejó mi corazón
en su tumba se agolpa un éxtasis de abejas
me acordaremos todos
aquí es lo que me duele
y un carrusel de azúcar siempre nunca jamás

## la muerte de mi madre tiene un nombre

la muerte de mi madre tiene un nombre
varios nombres con nombre y apellido

yo sé que nadie convulso sudoroso
irá de puerta en puerta preguntando
en dónde está la colegiala
la que mataron a golpes de gatillo
los hombres poderosos de la aldea
los que escribieron en torno de su cuello
un rojo intermitente

yo sé que nadie pagó por su rescate
Matilde muere

la tiran del tejado de la iglesia
después comulgan todos con su cráneo

de joven fue una jovencita
después mi madre
después quiso tocar las piezas de este juego
volcar el ajedrez
entrar como mujer a un ruedo de varones
doblando como pudo las aristas
los dientes del dragón
tratando de tocar esa marmita del poder

quemándose las manos dignamente
para torcer
las piezas de este juego
blandiendo su verdad

la colegiala muerta estaba convencida
era una reina tratando de volar
estaba enamorada
de este patio chiquito de la patria
aunque ese amor resulte malsonante
a los hombres poderosos de la aldea

eso no importa
puesto que amor del bueno tuvo y mucho
la amaban las conserjes
la gente de la calle
o los hombres honestos que todavía nos quedan
la amaban las mujeres por supuesto

era una reina tratando de volar
asida a su decencia a su coraza
de amor incorruptible

ahora está muerta
la mataron de cáncer de cansancio
de canalla gangrena de coraje

le vendaron los ojos la vendieron
pusieron fuego a su curul
para mirarla arder
para quemarla
colegiala imperturbable
de paso quemaron a mi madre

ahora se ponen la ceniza en el ojal

la muerte de mi madre tiene un nombre
varios nombres con nombre y apellido

a esta hora reposan en sus casas
visitan a su amante malherida
portan el alma en un vaso putrefacto
en realidad
no se dan por enterados

poco importa

tengo un cadáver de oro
tengo la muerta inolvidable
me iré bailando por la calle con su cuerpo
cayéndose a migajas
Matilde tengo para teñir el mar

ellos
cuando miren lo que miren
que me miren

quemar a una mujer como Ifigenia

ya les vendrá la muerte
el cólico terrible
yo bailaré con ellos ese día
y en esa araña espesa
de su corazón
pondré navaja ardiente mi orfandad

los miraré

los miraré

los miraré

hasta entonces
ellos
cuando miren lo que miren
que me miren
en los ojos de sus hijos y sus hijos
amén

## noticias de casa

estamos bien

al mediodía
doy de comer añicos plateados y calientes

beso tu sangre y tengo así la boca pintada
y todo lo que digo me viene de tus venas

yo voy bruñendo el aire por la casa
voy frotando
    frotando
    frotando
el relicario hirviente de tu nombre
el dardo de Caín que me retuerce

estamos bien y tengo la mirada partida
y todo lo que como es el plato de tu muerte

## domicilio

¿en dónde está mi madre? ¿en un terrón infecto? ¿en un plato de viento que se pudre? ¿en el hollín crujiente? ¿en un cajón de hierro? ¿en una carabela carcomida? ¿un animal que ruge en medio de una bala? ¿un fuego de espinazos? ¿una bestia menuda que se asfixia? ¿debajo de la tierra está golpeando por salir como un niño del vientre de su madre? ¿me está mirando? ¿de allí? ¿de ese ciervo quebrado al borde del camino? ¿y ese trozo de grito que no atina a abrirse paso por el cuello? ¿es un rastro de musgo que los rayos liquidan? ¿un recuento de calcio? ¿un pájaro de escombro?

yo soy mi madre
y mi cuerpo es ahora
su elemento

## una hija conduce a su madre hasta el sueño

yo hablé con el pedazo de mi madre
que no quería morir         se resistió
fue el potro que pierde la cordura
y es nervio cercenado ante la muerte

por la esgrima de fuego que sostuvo
tuvimos que enterrarla maniatada

yo pude hablar con esa jarra fría
de sangre que se muere
yo vi un dios reventado vi una estaca
de pólvora en su pecho

y a ese trozo de oído que latía
como una seda sacra
como el último barco
como el pulso final de flama de una astilla

a ese tercio de madre que me resta
y pesa más que el mundo
y es el diamante hirviente
que entierro entre mis ojos

a ese frasco de fe que me cedieron
clementes cirujanos desolados
le pude hablar
decirle

adiós pequeña
duerme
no habrá bestias feroces entre la oscuridad

## mujer del organillo

esa mujer que gime
y afila mi faringe
sostiene con su muerte
las cuatro puertas de mi cuerpo
vive muerta en una tumba una feroz
caja de organillo enmohecida
la música que sale
es del grosor de un clavo

esa mujer debe de ser a estas alturas
tan sólo un vaso de tierra en mi garganta

esa mujer jugó a los dados con su vida
apostó como un tahúr
para parirme sin preguntar
voy a morir
se jugó entera
como suelen hacerlo las gitanas
y era una dama
y ahora es tan sólo mi dama muerta

esa mujer
que mirando de manera minuciosa
estampó su pupila detrás de mi pupila
como un gato que se ahoga

o una moneda
que me hiende el glóbulo ocular

esa mujer
conserva pegada al corazón
esa boca de final que yo le puse
o pegada tal vez avariciosa a la escotilla
antes de ser hundida en su ataúd
en su caja de organillo macilento
la música que sale
hace vibrar la polvareda

mujer del organillo
muerta que cantas

yo soy la organillera

V

## Hoy no he leído un libro con asombro

Hoy no he leído un libro con asombro.

Al despertar
quise tocar un lienzo:
se hizo a la mar.

Quise tomar mi té:
el cuenco tornó a fuente.
Yo vi los numerosos
gramos del agua.

Quise prender la puerta:
se puso a arder.

Yo estuve absorta.
El pan se me escurrió
como un clavel de arena.

Debo decir:
hoy no he leído un libro con asombro.

Al despertar,
convengo:
alguien posó sus alas contra el muro.

Debo pensar:
¿un hombre me habitó?
Bajó del mes de junio.

Ahora lo sé:
hoy no he leído un libro.
Alguien está escribiendo
la historia que esperaba.

¿Es un alfil de plata?
¿Un hombre que se aleja de París?

¿Son este par de manos
con su cuello?
¿Un cuello que me pone de rodillas
y así de boquiabierta?

Yo vi su cisne.
Ahora recuerdo.

Me está esperando
al otro lado de morir.

Yo soy la pitonisa:
estoy leyendo
las letras de mi mano con asombro.

Hace diez años
bajó del mes de junio
y ya no se me quita.

Ese hombre está gritando como un griego.
Me dice que se queda.
Quiere un tazón de leche, hacerme un hijo.
Tengo una hija: ahora recuerdo.
Bajó del mes de abril
e hizo temblar la tierra.

Yo soy la pitonisa,
estoy leyendo
las letras de mi mano con asombro.

Hace diez años
bajó del mes de junio
y escribe desde entonces
la historia que esperaba,
me dice que se queda,
quiere un tazón, un hijo,
mi mano con asombro,
una hija pitonisa,
hacer temblar la tierra,
la historia que esperaba.
Y ya no se me quita.

**quiero tomar un hijo, tener un barco,
tomar un barco**

si ya lo sé
si soy la lagartija que cruje
bajo el orbe
el tenso escarabajo que palpita
sostengo con mi miedo la tormenta
qué no voy a saber si estoy desnuda
en esta llaga
y en el aro del pecho
me imprime la vida su cornada
su blanco puñetazo

que no se me abandone
yo voy a la estación, a alguna parte
a clavar con fe los incisivos
a hurgar con dulce hambruna
la filigrana testaruda del deseo
la telita jodedora del que ama
y ya no puede contenerse
y es un jarrón de flor desesperada

si ya lo sé
que no me digan de nuevo la desdicha

quiero tomar un barco, un beso
una medida

una pomada nueva
zurcirla a la matriz con esperanza

tomar a mi varón, sobre su sexo
depositar esta vagina enamorada
esta vulva hecha del higo de los vértigos
y ser el más estrecho brazalete

mirar esa fiereza que se funde
y es esta hilacha tibia
saliva del destino
espuma del esperma
donde escucho a mi hijo que me llama

quiero tomar un barco
dejar que me hable el mar por este sexo
que se ha puesto de pie
para preñarme

que su espuela de miel
en las entrañas
me ponga un ser del musgo

yo voy a la estación, a alguna parte
adonde salen a parir los ciervos hembras
ese sueño bruñido que les brilla
como un cristal creciente
a pesar de los pesares y los hombres
y del dolor morado de este mundo

quiero tomar un hijo, tener un barco
tomar un barco

a ellas como a mí
que nos manche la vida y su promesa
con su baba de estrella
en los ijares

## Testimonio

Yo,
la que yació
sobre su lomo arqueada en buena lid,
la que bebió entre ahogos
los cálices del semen, pues visto está,
yo soy las fauces de la luz;

la que tornó en sarmiento y crecimiento constante
ese licor profano venido de varón;

la que forjó en umbrosos yacimientos carnales
un cordero de sueño, un pájaro aturdido,
un extracto del ángel donde brillan mis genes;

la que ha mirado
abrirse en abanico su entrepierna,
la que arrancándose del vientre rayos,
peleando con el león de su dolor, girando
como un viaje de centauros por su cuerpo,
he dado a luz;

yo,
quiero testificar:
estoy aquí frente a este ser que tiembla,
del que emana una esencia de gardenias calientes.

Beso sus pies calizos. Reverencio
el desgarrón del oro en su pañal.
En su saliva toco la leche del vacío,
lo que mueve a mis pechos a abrir sus surtidores.
Estoy bajo el embate de la dicha,
doblada por el talle.
Soy otro ser que tiembla, transparente.

Yo,
la del pelambre de loba,
la del anca cobriza y garra restallante,
soy su rehén.

Nadie pretenda quebrantar mi cautiverio.

# Bibliografía de Ana Istarú

ANA ISTARU, poeta, actriz, dramaturga, nació en San José en 1960.

## Obra Poética

### Libros

*La estación de fiebre y otros amaneceres*. Antología personal. Editor: Ricardo Bada. Madrid: Colección Visor de Poesía, 1991.
*La muerte y otros efímeros agravios*. San José: Editorial Costa Rica, 1989.
*Poemas*. Colombia: Ediciones Embalaje del Museo Rayo, 1987.
*La estación de fiebre*. San José: EDUCA, 1983. 2a. ed., San José: EDUCA, 1984. 3a. ed., San José: EDUCA, 1986. Madrid: Editorial Torremozas, 1986.
*Poemas abiertos y otros amaneceres*. San José: Editorial Costa Rica, 1980.
*Poemas para un día cualquiera*. San José: Editorial Costa Rica, 1977.
*Palabra nueva*. San José: Imprenta Trejos, 1975.

### Antologías

Albizúrez, Francisco. *Poesía Contemporánea de la América Central*. San José: Editorial Costa Rica, 1995.
Agosín, Marjorie. *These are not sweet girls. Poetry by Latin American Women*. Nueva York: White Pine Press, 1994.
Alberty, Carlos y otros. *Antología de textos literarios*. Puerto Rico: Editorial de la Universidad de Puerto Rico, 1994.
Asociación Prometeo de Poesía. *Muestra consultada de la Poesía Actual en Español (Década 1983-1992)*. Madrid: Cuadernos de Poesía Nueva, 1994.
Mora, Sonia y Ovares, Flora. *Indómitas Voces. Las poetas de Costa Rica*. San José: Editorial Mujeres, 1994.
Pfeiffer, Erna. *Torturada. Von schlächtern und geschlechtern*. Viena: Editorial Wiener Frauenverlag, 1993.
Monge, Carlos Francisco. *Antología crítica de la poesía de Costa Rica*. San José: Editorial de la Universidad de Costa Rica, 1992.

Fernández Olmos, Margarite y Paravisini-Gebert Lizabeth. *El placer de la palabra. Literatura erótica femenina de América Latina.* México: Editorial Planeta Mexicana S.A., 1991.

Pfeiffer, Erna. *AMORica Latina. Mein Kontinent-mein Körper.* Viena: Editorial Wiener Frauenverlag, 1991

Hopkinson, Amanda. *Lovers and Comrades. Women's resistance poetry from Central America.* Londres: The Women's Press, 1989.

Anglesey, Zoë. *Central American Women's Poetry for Peace. IXOK AMAR: GO.* Nueva York: Granite Press, 1987.

Lagos, Ramiro. *Mujeres Poetas de Hispanoamérica.* Bogotá: Ediciones Centro de Estudios Poéticos Hispánicos, 1986.

Chase, Alfonso. *Las armas de la luz. Antología de la poesía contemporánea de la América Central.* San José: DEI, 1985.

Jiménez, Carlos María. *Antología de una generación dispersa.* San José: Editorial Costa Rica, 1982.

Baeza Flores, Alberto. *Evolución de la poesía costarricense.* San José: Editorial Costa Rica, 1978.

Estudios críticos

Román Barquero, Luz Marina. *La poesía erótica de Ana Istarú. Análisis interpretativo.* Tesis. Universidad Nacional. Heredia, Costa Rica, 1995.

Rosenvinge, Teresa. "Poesía volcán". En: *Diario 16,* (Madrid, 25 de junio de 1992)

Aguilar Gutiérrez, Alma Rosa y Benavides Romero, Katia. "La estación de fiebre: dificultades de un discurso erótico". En: *Letras,* 18-19 (Heredia, Costa Rica, 1986/1989), pp. 97-109.

Rojas González, Margarita. "Transgresiones al discurso poético amoroso: la poesía de Ana Istarú". En: *Revista Iberoamericana,* LIII,138-139. (1987), pp. 391-402.

Piszk, Ileana. "Identidad femenina en la poesía de Ana Istarú: un análisis crítico". En: *Revista costarricense de psicología,* 6-7. (San José, Costa Rica, 1985), pp. 9-17.

Hernández Novás, Raúl. "Ana Istarú y su durable estación de fiebre". En: *Casa de las Américas,* XXIV, 142. (La Habana, Cuba, 1984), pp. 189-193.

Sinán, Rogelio. "Sobre la joven poetisa Ana Istarú". En: "Posdata", de *Excelsior*, (San José, Costa Rica, 1976), p. 7.

**Teatro**

Publicaciones y Estrenos

"El vuelo de la grulla". En: *Revista Teatral ESCENA*, n° 11, San José, Costa Rica, 1984. (Estreno en la Sala Vargas Calvo, 1984. Remontaje en la Compañía Nacional de Teatro, 1994).
"The flight of the crane". Traducción de "El vuelo de la grulla" al inglés por Timothy J. Rogers En: *Latin American Literary Review*, vol XVII, n° 33, (Miami University, Ohio, 1989).
"Madre nuestra que estás en la tierra". En: *Revista Teatral ESCENA*, n° 20/21, San José, Costa Rica, 1989. (Estreno en la Sala de la Compañía Nacional de Teatro, 1989).
"Baby boom en el paraíso". Monólogo inédito. (Próximo estreno, marzo 1996).

Antologías

Andrade, Esther y Cramsie, Hilde. *Dramaturgas latinoamericanas contemporáneas.* Madrid: Editorial Verbum, 1991.


**Premios, Distinciones y Becas**

Primer Premio Certamen Anual Latinoamericano de la Editorial Universitaria Centroamericana, EDUCA, San José, Costa Rica, 1983.
Premio Nacional a la Mejor Actriz Debutante, 1980.
Premio Joven Creación de la Editorial Costa Rica, San José, Costa Rica, 1977.
Invitada a los siguientes eventos:
"Festival Internacional de Teatro de Avignon", Francia, 1981.

"Encuentro de Jóvenes Creadores Latinoamericanos", La Habana, Cuba, 1983.

"I Encuentro Hispanoamericano de Jóvenes Creadores", Madrid, España, 1985.

Jira por los estados de Nueva York y Massachusetts, participando en recitales, en universidades y teatros, y en eventos literarios tales como la Universidad de Harvard y la Segunda Feria Latinoamericana del Libro, en Manhattan. 1987.

"III Encuentro Latinoamericano de Escritores", Buenos Aires, Argentina, 1990.

"III Simposio Internacional: Escritura de Mujeres de Latinoamérica", París, Francia, 1992.

Recital de poesía en la Sociedad de Escritores Chilenos (SECH), Santiago, Chile, 1994.

"IV Festival Internacional de Poesía", en Medellín, Colombia, 1994.

"II Feria Internacional del Libro", en Miami, Estados Unidos, 1994.


Beca para la creación artística concedida por la Fundación John Simon Guggenheim, 1990.